LA TIERRA, DE UNA BELLEZA AZUL INCREÍBLE...

POBLADA POR MÁS DE UN MILLÓN DE ESPECIES DISTINTAS...

LA TIERRA...

EN GRAVE PELIGRO DE EXTINCIÓN.

PERO HAY UNAS 2580 DE ESTAS ESPECIES QUE ESTÁN...

IMPEDIRLO.

EN ESTOS MOMENTOS SÓLO NOSOTROS INTENTAMOS...

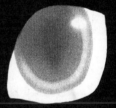
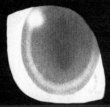

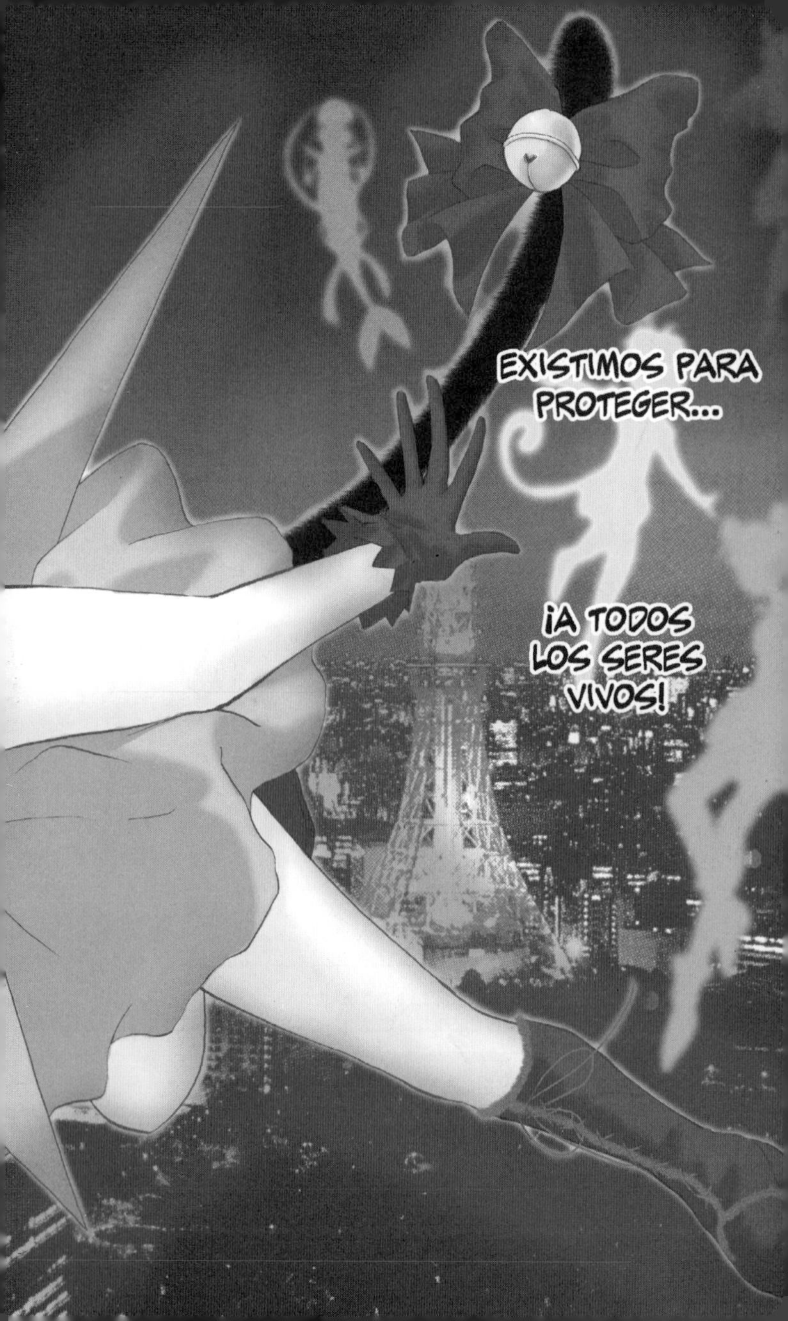
EXISTIMOS PARA PROTEGER...
¡A TODOS LOS SERES VIVOS!

FUE TODA UNA SORPRESA...

¡¡NADA, NADA!! ¡ES SÓLO QUE CREO QUE DEBEMOS PROTEGER EL PLANETA!

¿EH?

ES OBVIO QUE ES ALGO QUE TE INTERESA MUCHO...

QUE ME INVITARAS A ESTA EXPOSICIÓN SOBRE ANIMALES EN PELIGRO.

ES VERDAD.

¡¡UAAAH!!

JE

¡¡ES GENIAL!!

TUTUM

ES EL MÁS POPULAR DE LA ESCUELA...

Y ADEMÁS TAMBIÉN ES BUEN DEPORTISTA.

ESTÁ TAN GUAPO CON ESTE ASPECTO DE INTELECTUAL...

¡ME FASCINA SU SONRISA!

LA VERDAD ES QUE ESTA EXPOSICIÓN DE ANIMALES MUERTOS NO ME INTERESA...

AHORA TOCA EL LOBO GRIS.

¡VALE!

SABÍA QUE VENIR CON AOYAMA A ESTE SITIO ERA UNA BUENA IDEA.

9

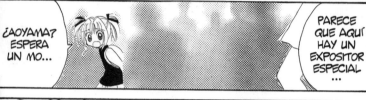

Y AHORA NOS HEMOS BESADO...

YO... ANTES QUERÍA QUE ESTUVIÉRAMOS MÁS UNIDOS...

LO SIENTO, YO...

UN PAÑUELO...

BUBUMM

TAP

MOMOMIYA...

NO SERÁ QUE AOYAMA SIENTE ALGO POR...

¿QUÉ?

AOYAMA...

PERO ES QUE...

TAP

¡NO DEBES USAR PAÑUELOS DE PAPEL, PERJUDICAN LOS BOSQUES!

¿EH?

ZUPP

USA ÉSTE, POR FAVOR.

PAZING

TSE

BLINK

GRACIAS...

NO QUISIERA...

AH... PERO...

¡ES UN PAÑUELO HECHO CON MATERIAL RECICLADO!

NO DIGAS ESO... AOYAMA...

¡MIRA ESTO!

QUÉ SENSACIÓN MÁS RARA...

ES FANTÁSTICA.

13

SERÁ QUE NO SE DA CUENTA...

¿DE MIS SENTIMIENTOS...?

NO TENDRÍA QUE DECIR ESAS COSAS...

BUF

¿EH? ¡VALE, MUY BIEN!

VOY A COMPRAR ALGO DE BEBER.

TAP TAP

PARA PROTEGER...

SÍ.

MUY BIEN.

TODO ESTÁ LISTO.

VAYA...

EL FUTURO DE LA TIERRA...

EL DÍA EN EL QUE EMPEZÓ TODO-1

CLARO.

¿QUIERE ESTUDIAR ESTA PRO-PUESTA?

¿QUÉ HARÁ UN SITIO ASÍ EN UN LUGAR COMO ÉSTE?

¡QUÉ CAFETERÍA MÁS MONA!
♡

PROPUESTA. JUSTICIERAS BIÓNICAS

PROPUESTA JUSTICIERAS BIÓNICAS

¿EH?

VAYA...

TENGO QUE TRAER A AOYAMA A ESTE SITIO...

AUNQUE AÚN ME DA VER-GÜENZA...

¡LO SENTIMOS! ¡LOS DOS HEMOS ESTADO PEN-SADO DU-RANTE DOS HORAS!

ESTE TÍTULO... NO VA EN SERIO, ¿VERDAD?

PERO POCO DESPUÉS EL RESPONSABLE SUGIRIÓ EL TÍTULO ACTUAL. ♡

ES...

¡LA CHICA DE ANTES!

¿QUÉ DICE?

EL AMOR NO CO-RRESPON-DIDO ES MUY DO-LOROSO.

16

LO SIENTO MUCHO.

PERO ME PEDISTE UN CAFÉ...

BRR

BRR

¡¡LO SIENTO MUCHO!!

BUAAA

¡NO NOS VALEN TUS DISCULPAS!

¡¡TEN MÁS CUIDADO, TONTA!!

PERO SI ANTES DIJISTE QUE LO QUERÍAS ASÍ...

¿POR QUÉ LO HAS COMPRADO TAN CALIENTE?

TAP

¡YA LES VALE, SE ESTÁN PASADO MUCHO CON ESA CHICA!

ESOS UNIFORME SON DEL INSTITUTO OKUMURA.

PARECE QUE HAYAN VENIDO AL MUSEO EXPRESAMENTE A CREAR PROBLEMAS.

17

18

¡PRESTA ATENCIÓN! ¡SI NO DEJAS DE HACER EL TONTO, ESTA CHICA LO PAGARÁ!

¡SE BURLA DE NOSOTRAS!

¡AH!

¡TE COGERÉ!

¡VEN AQUÍ!

IN...IN-CREÍBLE...

¡ESA POBRE CHICA CON GAFAS...!

FASH

AH...

¡OH!

¡ESO NO!

¡Z A! C K

NO...

!!

¿TÚ TAMBIÉN QUIERES RECIBIR!?

¿QUÉ HACÉS?

YA ACABÓ TODO.

¡HA SIDO DIVERTIDO! ♥

BUENO...

MUCHÍSIMAS GRACIAS, SIENTO MUCHO QUE HAYÁIS TENIDO QUE PREOCUPAROS POR MÍ.

REVERENCIA

SE HAN PORTADO FATAL CONTIGO.

¿POR QUÉ DEBES DISCULPARTE?

LUEGO LES PEDIRÉ PERDÓN.

COMO SOY TAN PARADITA SIEMPRE CAUSO PROBLEMAS.

¿NO ES VERDAD?

ES FANTÁSTICA.

ES LA MEJOR. ♡

SÍ...

ICHIGO

GLUC GLUC

AH, ESPERA...

¡ADIÓS, ADIÓS, HASTA OTRA! ♡

¿¡EH!?

BUENO, YO ME VOY...

21

22

HA ENTRADO EN MÍ...

EL GATO...

ALGUIEN... ME LLAMA...

 MI...

 MIYA...

QUÉ...

SENSACIÓN MÁS MARAVILLOSA...

MOMOMIYA...

¿QUIÉN ES?

¿ESTÁS BIEN? ¿CÓMO TE ENCUEN-TRAS?

ALGUIEN IMPORTANTE...

¿ENTRÓ EN MI CUERPO...?

POR QUÉ ESE GATO...

¿¡YO!?

PENSÉ QUE A LO MEJOR TENÍAS ANEMIA...

WUPP

¿QUÉ LES HABRÁ PASADO?

Y ESAS CHICAS...

QUE DÍA MÁS EXTRAÑO...

SÍ...

NO PARECE QUE TE ENCUENTRES MUY BIEN.

¿PUEDES LEVANTARTE?

¿NOS VAMOS?

PÍO PÍO

MIAU.

MUY RARO...

HA SIDO...

GRAB

FLIP
FLIP

¡¡¡AAAH!!!

¡¡MI RECUERDO MÁS PRECIADO DE LA CITA CON AOYAMA!!

GYA
AH!

UA
AH!

¡LO COGÍ!

¡CUIDADO, ICHIGO!

¡¡UAH!!

LO QUE HA PASADO

¡¡MOMO-MIYA!!

¡ME CAIGO!

UAA AH!

ME HE DORMIDO EN EL DESCANSO.

¿POR QUÉ?

NO SÓLO TENGO MUCHO SUEÑO...

TAMBIÉN ME SIENTO MÁS LIGERA.

NO ME HABÍA DADO NI CUENTA...

MOMO-MIYA.

DE LO DEL PES-CADO...

TE ESTABA BUSCANDO.

QUÉ BIEN.

AOYAMA.

¡TODO EL TIEMPO QUE QUIERAS!

NO, NO, SÓLO SERÁ UN RATITO.

ASÍ QUE...

¿TIENES ALGO QUE HACER DES-PUÉS DE CLASE?

TÚ ERES ICHIGO MOMOMIYA...

¡AQUÍ, MOMO-MIYA!

¡Sí!

¡NO ES UNA CITA, ESTAMOS LIMPIANDO EL RÍO!

JA JA

¡HEMOS RECOGIDO MUCHO!

¿POR QUÉ...?

TACHÁN

AH... SÍ...

¡AQUÍ TAMBIÉN!

JE

NO SE ME HUBIERA OCURRIDO DE NO SER POR TI.

¡NO, ES DIVERTIDO DEJAR EL RÍO TAN LIMPIO!

¡AH!

¿ESTÁS CANSADA?

¡CLARO!

¡VAYAMOS A TOMAR UN HELADO!

FUI UNA TONTA AL TENER ESPERANZAS...

¿ES UNA CITA?

PARA QUE LOS PECES PUEDAN VIVIR EN EL RÍO, EL NIVEL DE CO_2 DEBE SER INFERIOR A 5 PPM.

VAYA...

LA CONTAMINACIÓN DEL RÍO AFECTA AL ESTADO DEL AGUA, AL CO_2.

PERO...

← ÉL SIGUE HABLANDO.

DA QUE PENSAR...

LA VERDAD ES QUE...

TIENE MUCHOS AMIGOS, Y AÚN ASÍ ME HA PEDIDO A MÍ QUE VENGA CON ÉL...

PLIC

¿EH?

BUBUMM

¿QUÉ PIENSAS DE...?

OYE, AOYAMA...

SÍ... ES QUE... BUENO...

AOYAMA... ¿QUÉ PASA?

FUOM

¿QUÉ PIENSO DE QUÉ?

¡¡CUIDADO, MOMOMIYA!!

¡AOYAMA!

¿POR QUÉ ESTÁ PASANDO ESTO...?

POR QUÉ...

BRR BRR

¡¡¡NOOOOOOOO!!!

AH

¡AOYAMA, AOYAMA!

¡AGUANTA!

CLASP

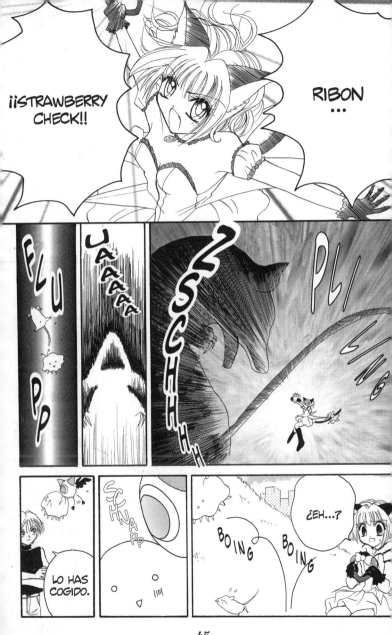

LOS ALIENS USAN A LOS ANIMALES COMO ARMAS.

¿DE QUÉ ESTÁ HABLANDO?

¿QUÉ...?

CONVIERTE A LOS ANIMALES EN SERES FEROCES Y TERRIBLES.

SÍ, UN PARÁSITO EXTRATERRESTRE.

SOMOS LOS RED DATA ANIMAL.

Y NOSOTROS SOMOS LOS ÚNICOS QUE LES PODEMOS PLANTAR CARA.

LA FUERZA Y PODER DE LOS ANIMALES EXTINGUIDOS.

NOSOTROS INTENTAMOS PRESERVAR...

¿RED DATA ANIMAL?

EL TRATAMIENTO CONSISTE EN INYECTAR VIRUS POSITIVOS EN LAS CÉLULAS ENFERMAS.

MEZCLAMOS EL ADN DE LOS PARÁSITOS PARA CREAR FORMAS DE VIDA QUE PUEDAN EXTERMINARLOS.

FICHAS EXTRAS

EN EL MUNDO HAY ANIMALES EN PELIGRO DE EXTINCIÓN. ACTUALMENTE, HAY 2580 ESPECIES EN PELIGRO. UNO DE LOS MOTIVOS ES QUE LOS HUMANOS PESCAMOS DEMASIADO (UNA CANTIDAD EXCESIVA DE PECES), Y LA DESTRUCCIÓN DEL MEDIO AMBIENTE. ¡SI TODOS NOS ESFORZAMOS, PODREMOS SALVAR A LOS ANIMALES!

FILE 1. EL GATO DE IRIOMOTE

TAMAÑO. LA LONGITUD DE LAS HEMBRAS, DE LA CABEZA Y EL TORSO, ALCANZA LOS 50 CENTÍMETROS. LA COLA PUEDE MEDIR HASTA 25 CENTÍMETROS. LOS MACHOS SON MÁS GRANDES QUE LAS HEMBRAS. **DÓNDE HABITA.** EN LA ISLA IRIOMOTE, EN OKINAWA. HACE 72 AÑOS SE DESCUBRIÓ ESTA NUEVA ESPECIE DE GATO, EL GATO DE IRIOMOTE. EN SU DÍA ESTE DESCUBRIMIENTO FUE MUY POLÉMICO, Y CENTRÓ LA ATENCIÓN DEL MUNDO ENTERO. EN 1967 SE LE ERIGIÓ UN MONUMENTO. ES UNA ESPECIE SINGULAR, QUE TREPA A LOS ÁRBOLES. HOY EN DÍA QUEDAN UN CENTENAR DE EJEMPLARES, Y TENEMOS QUE PROTEGERLOS.

FILE 2. PERIQUITO DE PECHO BLANCO

TAMAÑO. SU TORSO Y CABEZA MIDEN 18 CENTÍMETROS, Y LA ENVERGADURA DE SUS ALAS ES DE 11 CENTÍMETROS. **DÓNDE HABITA.** ARCHIPIÉLAGO TAHICHI. YO TUVE UNO COMO MASCOTA, Y LO QUERÍA MUCHÍSIMO, PERO AHORA SÓLO QUEDAN ENTRE 1500 Y 2000 EJEMPLARES, ES UNA ESPECIE MUY RARA. SE LE LLAMA ASÍ POR SU GARGANTA ("NODO" EN JAPONÉS) QUE ES DE COLOR BLANCO. VIVE EN UN ARCHIPIÉLAGO, Y AUNQUE TIENEN MUCHOS ENEMIGOS NATURALES, LOS AFECTÓ UNA ENFERMEDAD Y HOY HAY MENOS QUE NUNCA.

SIGUE EN LA PÁGINA 162

¡HOLA, SOY IKUMI!

HOLA, ¡CUÁNTO TIEMPO! ¿CÓMO ESTÁIS? SOY MIA IKUMI.
HACÍA MUCHO QUE NO CHARLABA CON MIS FANS. PRIMERO,
QUIERO DAROS LAS GRACIAS A TODOS. LA PREPARACIÓN DE
ESTE MANGA HA SIDO LARGA Y LABORIOSA, Y LA ESPERA
HASTA QUE EL PRIMER TOMO SE HA PUESTO A LA VENTA ME
HA PARECIDO LARGUÍSIMA, ¡HA PASADO MÁS DE UN AÑO...!
¿CREÍAIS QUE HABÍA DEJADO DE DIBUJAR? TRANQUILOS,
SOY MUY CABEZONA PARA ESTAS COSAS...
¡DISFRUTAD DE TOKYO MEW MEW!

¿QUÉ SIGNIFICA ESTO!?

¿SOY UNA DEFENSORA DE LA JUSTICIA?

¿EH...!?

TE LO ENSEÑARÉ.

VEN CONMIGO.

CLASP

¿CÓMO PUEDE HABLAR TAN TRANQUILO DE ARMAS BIOLÓ- GICAS?

¡SUÉL- TAME!

¿QUÉ ...?

¿DÓNDE ME LLEVAS!?

GRAB

¡ESTATE QUIETA!

BAMM

¡¡QUE ME SUEL- TES!!

¡¡ES- PERA, ESPE- RA!!

NIIIIC

LO EN- TENDERÁS CUANDO LO VEAS.

GRAA P.P

YO ME OCUPARÉ, RYO.

MI NOMBRE ES KEIICHIRO AKASAKA.

ENCANTADO DE CONOCERLA, SEÑORITA.

ICHIGO MOMOMIYA.

YO ESCOLTARÉ A LA SEÑORITA.

RYO.

KEIICHIRO...

A NUESTRO SECRETO.

QU... ¿PERO QUÉ ES ESTO?

¿QUÉ ES TODO ESTO?

¿¡QUÉ ES LO QUE SOIS!?

VOSOTROS...

EL DUEÑO DE UNA PASTELERÍA.

¿NO LO VES, CON ESTA CARA?

Y...

UN ESTUDIANTE DE INSTITUTO MUY RICO...

BA FF

NO SÉ SI DEBE SER MÁS ESPONJOSA O MÁS SECA.

TENGO QUE HACERTE UNA CONSULTA SOBRE UNA TARTA.

LOS ANIMALES...

¿QUÉ ES...?

PLING

PLANG

UMA...

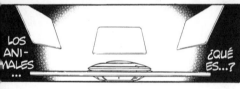

KEIICHIRO ES UN EXPERTO EN ANIMALES NO IDENTIFICADOS, LOS UMA...

EN REALIDAD, TODOS ESTOS SON ESPECIES AUTÓCTO-NAS INFECTADAS POR UN PARÁSITO EXTRATERRESTRE, Y AHORA SON BES-TIAS QUIMERA.

HAY ANIMALES EXTRAOR-DINARIOS, COMO EL NESHI O EL TSUCHI-NOKO.

CUANDO EMPECÉ A INVESTIGAR NO PODÍA CREÉRMELO, PERO ES LA PURA VERDAD.

BESTIAS QUIMERA ...

AÚN NO CONO-CEMOS SUS VERDADERAS INTENCIO-NES.

COMO EL RATÓN DE ANTES...

ESTOY SEGURO DE QUE QUIEREN APODERARSE DE NUESTRO PLANETA.

PERO SABEMOS QUE EL OB-JETIVO DE LOS ALIENS ES UTILIZAR LOS PODERES DE LOS ANI-MALES.

ESTABA LLEGAN-DO A ESO, RYO.

¿¡¡CÓOOOO-MOOOOO!!?

ZRISH

LO QUE QUIERE DECIR QUE TÚ DEBES LUCHAR CON-TRA ELLOS.

61

TODAS TUS COMPAÑERAS DEBEN TENER UNA MARCA PARECIDA A ÉSTA EN ALGUNA PARTE DE SU CUERPO.

DEBES BUSCAR A LAS PERSONAS QUE TENGAN UNA SEÑAL COMO ÉSTA EN SU CUERPO.

BUAA

PERO SI ES LÓGICO...

¡ME HAS METIDO MANO!

PUES VAYA.

RYO...

JU...

PLAF

TRAN-QUILA.

PERO NO SÉ QUÉ PENSARÁN SI VOY A MENUDO...

¿QUERRÁS VENIR A PARTIR DE MAÑANA?

HOY DEBES ESTAR CANSADA.

NO SÉ SI PODRÉ HACERLO...

SNIFFFF

DEBO BUSCAR A QUIENES TENGAN UNA MARCA ASÍ EN SUS CUERPOS.

¿NO ERA LO QUE QUERÍAS?

¿¡CÓMO HE VUELTO A LA NORMALIDAD!?

¡¡¡UAAAH!!!

VUZZ

VUZZ

LO MEJOR SERÍA QUE CAMBIARAS DE ASPECTO.

¿EH?

DERRO-
TARLOS A
TODOS
...

NO ME
DIGAS
ESO...

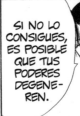

SI NO LO
CONSIGUES,
ES POSIBLE
QUE TUS
PODERES
DEGENE-
REN.

PERO PARA
PODER VOLVER
A SER HUMANA
DEBES DERRO-
TAR A TODOS
LOS ALIENS.

¿EH?

VENGA,
VAMOS.

¿PODRÍAS
ACOMPA-
ÑAR A
ICHIGO A
CASA?

POR
NADA.

¿POR QUÉ
VAS TAN
DESPACIO?

ATCHÍS

FRA PP

⑪

¿TE ENCUENTRAS BIEN?

¿TE HAS RESFRIADO?

DEBERÍAS DESCANSAR EL RESTO DEL DÍA.

ESTÁS CALIENTE.

CREÍA QUE ERA UN BORDE...

ERES... MUY AMABLE.

¿NO ES NORMAL QUE ESTÉ PREOCUPADO POR ALGUIEN IMPORTANTE PARA MÍ?

¡UAAH!

¡AAAARGH!

A MÍ ME GUSTA AOYAMA...

PORQUE ERES UNA DE MIS ARMAS.

ERES MUY IMPORTANTE PARA MÍ ...

ASÍ, DE REPENTE...

EH... OYE...

TAPP TAPP TAPP

¡¡ERES DE LO PEOR!!

¡¡IDIOTA!!

¡¡TE ODIO, ERES UN IMBÉCIL!!

¡¡NO QUIERO NADA TUYO!!

¡VAYA! OLVIDÉ DECIRLE LO MÁS IMPORTANTE.

EN FIN.

¡¡ES MUY MALA PERSONA!!

¡ES TERRIBLE! CREE QUE SOY, UN ROBOT?

NO LO ENTIENDO. HAY QUE VER CÓMO SE HA PUESTO...

¿Y AHORA POR QUÉ ME ODIA?

QUIZÁ SE DÉ CUENTA ELLA SOLA.

67

AYER ESTABA TAN CON-FUSA...

BUENOS DÍAS, MOMO-MIYA.

¡HOLA, ICHIGO!

BUENOS DÍAS.

¿YA ESTÁS BIEN?

SÍ.

SÍ... ESO ES, EL SOL PEGABA FUERTE.

SIENTO LO DE AYER, PARECE QUE NO PUDE EVITARLO.

UNA INSOLA-CIÓN, SUPONGO.

AOYAMA...

¿Y TÚ ESTÁS BIEN?

BUBUMM

¿¡UN GATO!?

¡¡MIAU!!

¿POR QUÉ TENÍA OREJAS DE REPENTE?

¿ESTÁS BIEN?

¡¡JA, JA, JA, NADA, NADA!!

QUÉ... ¿QUÉ HACES?

WUPP

¿MOMO-MIYA?

¡¡DESAPA-RECED! ¡POR FAVOR, DESA-PARECED!

¡ES VER-DAD! ¡PUEDO HACER QUE DESAPA-REZCAN A VOLUNTAD!

LA COLA.

HUCH!

PA-RECE QUE YA NO ESTÁN...

ESTE... ¿VAMOS?

¡¡SE ME HA QUEDA-DO LA COLA!!

FLAP FLAP

SÍ, VAMOS.

OH.

LA VERDAD, MOMOMIYA...

SI SE ACERCA MÁS, LO DESCUBRIRÁ...

¿NO SERÁ QUE...?

NO, AOYAMA.

NO TE ACERQUES.

MOMO... ¿MOMO-MIYA...?

¡¡NO, NO, NO, NO!!

¡¡¡HIII!!!

BRR BRR

HACE UN RATO QUE NO ME ENCUENTRO MUY BIEN ...

ES QUE TE DAN MIEDO LOS PERROS, ¿VERDAD?

LOS TIENES AHÍ.

SON MONOS, ¿VERDAD?

TIPI

TIPI

LOS...

PERROS SE ACERCAN ...

¿EH?

JE JE

¿LOS PERROS?

JE JE

73

EL INSECTO ICHIGO.

ZAS ZAS ZAS ZAS ZAS ZAS ZAS ZAS ZAS ZAS ZAS ZAS ZAS ZAS

¡ES MI OPORTUNIDAD!

A VER, A VER

¡DEBE TENERLA EN EL MISMO SITIO QUE YO!

¡¡CLARO!!

No... LA VE...

¿¡¡PERO QUÉ HACES!!?

NADA QUE VER CON LA MARCA...

NADA... ¡NO ES NADA!

¡¡LLEVAS UN RATO REVOLOTEANDO A MI ALREDEDOR!!

¿QUÉ ES LO QUE TE PASA?

¡VOY A TENER QUE SEGUIR INVESTIGANDO!

¡¡BUAAA, NO TENGO NI IDEA SI TIENE UNA MARCA O NO!!

NO SÓLO ERES FEA, SINO QUE TU EXPRESIÓN ES DESAGRADABLE.

¿¡QU...!?

SSST

¡ADIÓS!

¡HASTA OTRA!

SIENTO HABER TENIDO QUE MIRARLA ASÍ, PERO...

¡¡TAMPOCO TENÍA POR QUÉ DECIRME ESO!!

ERES MUY SUSCEPTIBLE.

ESAESAESA-ESAESA...

¿¡¡SERÁ MALEDUCADA!?

¡ESTOY DE LOS NERVIOS!

MO-MOMI-YA...

TENGO QUE VOLVER AL CLUB.

¡¡JO, NO QUIEROOO!!

PERO COMO ESA CHICA SEA UNA DE MIS COMPAÑERAS...

¡VALE, NOS VEMOS!

¿¡?

76

CHAK SHAAAAA

HOLOGRAMA

PERO AÚN NO HAS ENCONTRADO LA MARCA, ¿VERDAD?

¿EH? ¿ME ESPÍAS?

¿iEEEEH!?

ME ALEGRO DE QUE TE HAYAS TOMADO TAN EN SERIO LA BÚSQUEDA DE TUS COMPAÑERAS.

¿QU...? ¿iQU...!?

¿A QUÉ VIENEN ESOS AIRES!?

AH, ES VERDAD, HABÍA OLVIDADO COMENTARTE UNA COSILLA.

TE HE CONSEGUIDO ENTRADAS PARA ESTE BALLET TAN SELECTO, DONDE TOMA PARTE MINT AIZAWA.

PÓRTATE BIEN.

POR ESO TE HAGO ESTE REGALO ESPECIAL.

O SEA, QUE TE TRANSFORMARÁS EN GATO.

LO CIERTO ES QUE CADA VEZ QUE TE PONGAS NERVIOSA, O TE EXCITES POR ALGO, SE PRODUCIRÁ LA METAMORFOSIS.

¿EH? ¿UNA COSILLA?

ESFUÉRZATE, ¿VALE?

CAMBIO Y CORTO.

BUENO, YA LO SABES.

SHAAAA

JU

¡iNO ME DIGAS ESO!!

78

UAAAH

ESE SALTO...

ARECE GERA MO UNA LUMA ...

ESA CHICA ES MUY BUENA.

S MUY UAPA ...

SERÁ UNA BORDE, PERO ...

ES GENIAL, ¡¡ES FAN- TÁSTICA!!

A VER SI LA VEO ...

PERO DEBO ENCONTRAR ESA MARCA ...

YA VERÁS ...

¡¡LA ENCON- TRARÉ!!

85

YO NO PUEDO ...

NO... NO ES POSIBLE ...

¡SEGURA-MENTE NO PUEDAS CREERLO, PERO PUEDES TRANSFOR-MARTE!

¡ERES UNA DE MIS COM-PAÑE-RAS!

¡ES IMPOSI-BLE!

PATAM

¡POR FAVOR, TRANSFÓR-MATE!

NO... BASTA... YA NO PUEDO ...

MINT ...

¡MINT!

¡MINT!

BASTA...

¡¡ESO ES IMPOSIBLE!!

¡¡NO PUEDO HACERLO!!

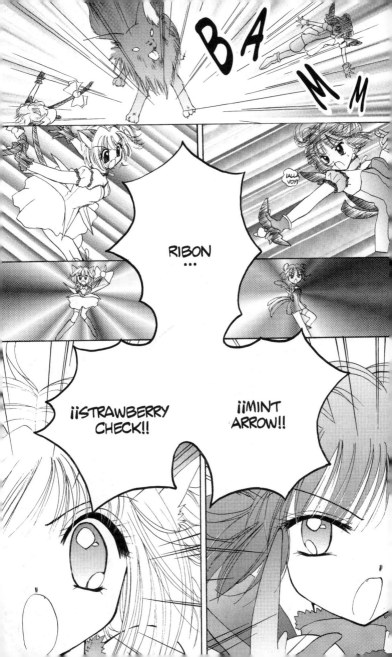

¿Y DÓNDE SE SUPONE QUE TRABAJO...?

¿DÓNDE...?

ESTE... ¿HAS DICHO TRABAJAR...?

¡TRABAJARÉ DURO!

¡SEÑOR, SÍ SEÑOR!

VENGA, A TRABAJAR.

¡¡UAAAAAH!!

EN ESTA CAFETERÍA.

EXACTAMENTE, ICHIGO.

¿QUIERES DECIR QUE TENGO QUE TRABAJAR AQUÍ?

VAYA, ES FANTÁSTICA.

104

¿EH?

¡¡PERO SI NO ESTÁS DANDO GOLPE!!

Z AS

¡¡VUEL-VO ENSEGUIDA!! ♡

¿TAMBIÉN VIENES AQUÍ?

ES MÁS PROBABLE QUE ESCUCHEMOS ALGÚN RUMOR INTERESANTE.

SI ESTAMOS MUY OCUPADAS...

¿Y A MÍ QUÉ ME EXPLICAS? ¡PERO TÓMALO SÓLO SI ESTÁS EN CASA!

SIEMPRE TOMO EL TÉ A ESTA HORA.

NO PUEDO HACER NADA.

Y EN UNA OCASIÓN, DEL AGUA EMERGIÓ LA FIGURA DE UNA CHICA JOVEN, QUE HABLÓ CON LAS CHICAS...

SE DICE QUE EN LA PISCINA DEL INSTITUTO OKUMURA, A PESAR DE ESTAR VACÍA, SE OYE AGUA.

¿EH? ESA CHICA

AH, PUES A MÍ ME HAN DICHO QUE FUE UN SUICIDIO...

HACE AÑOS ALGUIEN SE AHOGÓ EN ESA PISCINA, QUIZÁ SEA SU FANTASMA...

EL AGUA LAS PERSEGUÍA A DONDE FUERA QUE INTENTARAN ESCAPAR, Y LAS AFECTADAS PASARON UNA SEMANA EN EL HOSPITAL.

SUS OJOS ERAN DE FUEGO... DICEN QUE DESPUÉS LAS ATACÓ CON U CHORRO DE AGUA

107

S AQUELLA CHICA DEL MUSEO...

Y AHORA DICEN QUE LOS FENÓMENOS SE CONCENTRAN EN LA PISCINA.

TAMBIÉN DICEN QUE HAN PASADO COSAS EN EL AULA DE MÚSICA Y EN LA DE CIENCIAS.

POR ESO NO ES UN RUMOR MUY FIABLE.

¡LAMENTO LA ESPERA! ¡AQUÍ TENÉIS EL HELADO ESPECIAL DE FRESA!

¿ICHI-GO?

PERO PARECE QUE VUELVEN A METERSE CON ELLA.

¿ES QUE QUIERES DECIRLES ALGO?

BUENO... ES QUE...

ERO NO LO MOS DIDO...

¡¡AYA!!

¡¡ANDA!!

¡¡LO SIENTOOO!!

PERO RUÉ HAS E-O!?

FLOTSCH

DISCULPAD.

¿QUÉ? ¿A TI QUÉ TE IMPORTA?

A MÍ NO ME METÁIS.

VOSOTRAS LLEVÁIS TODO EL RATO...

VENID, POR FAVOR.

SI LA CAMARERA OS HA MOLESTADO...

ACEPTAD MIS DISCULPAS.

BLINK

¿PERO POR QUÉ VAS CON ELLAS?

NO ES NADA.

LLEVABA UN RATO MIRANDO Y...

PARECE QUE SIEMPRE SE METEN CONTIGO.

CREO QUE, SI ME CONTARAN SUS PROBLEMAS, SERÍAMOS AMIGAS...

TODOS ME ATORMENTABAN CUANDO ESTABAN NERVIOSOS O ENFADADOS.

109

ESA CHICA...

ES BUENA PERSONA.

POR ESO LES DARÉ OTRA OPORTUNIDAD.

YA VEO.

YO SOY LETTUCE MIDORIKAWA.

ME GUSTARÍA SER SU AMIGA

ME LLAMO ICHIGO MOMOMIYA.

QUIMERA.

¿EH?

CREO... QUE SE EQUIVOCA.

UNA... OPORTUNIDAD...

WUPP

AH... VOY...

¡VAMOS, LETTUCE!

110

¡QUE NO!

¿EH?

¡NO! VAYAMOS A VER SI ESA HISTORIA ES CIERTA.

SEGURO QUE ES UNA BESTIA QUIMERA QUE CONTROLA EL AGUA.

GUAY GUAY ♡

TODAS LAS ESCUELAS TIENEN RUMORES DE ESE TIPO, ¡PERO ESTOY SEGURA!

¡¡ME DAN MIEDO LOS FANTASMAS!!

¡¡NOOO!!

¡ME DAN MIEDO LOS FANTAS-MAS! ¡ME DAN MIEDO LOS FANTAS-MAS!

¿QUÉ DICES? ¡PERO SI SON MONÍSIMOS!

TE HAN SALIDO LAS OREJAS

BUENO, YA SON LAS CUATRO.

¿EH?

YA ESTÁ BIEN POR HOY.

PLOP

PLOP

¡PUH!

SÍ SÍ SÍ

...

¿TANTO MIEDO TE DAN?

SÍ SÍ

111

TENGO QUE IR A MI CLASE DE DANZA JAPONESA.

AGUA POR FAVOR

¡BIENVENIDOS!

¡ESP...!

COSAS DE CHICAS.

¡ADIÓS!

¿Y EL TRABAJO?

¿CUÁNDO TE HAS CAMBIADO?

¡LA CUENTA, POR FAVOR!

¿Y MI AGUA?

¿LA TARTA ENGORDA?

¡POR FAVOR, UN CAFÉ CON LECHE!

¡SÍ!

¡¡BIENVENIDOS!!

VAMOS A CERRAR POR HOY.

LO HAS HECHO MUY BIEN.

112

AKASAKA, ¿DÓNDE ESTÁ EL OTRO?

¿TE REFIERES A RYO? EN EL CUARTO DE ARRIBA.

MIL YENES POR HORA ES MUCHO DINERO... PERO ME LO HE TENIDO QUE GANAR...

WANK

ESTOY HECHA POLVO...

AAAH POR F!

PLUMPS

UN MOMENTO... HAY ALGO QUE ME MOSQUEA DESDE HACE UN RATO...

DAZING

¡HASTA MAÑANA! ♡

TAP TAP

AH, VALE, PUES DESPÍDETE DE MI PARTE...

¡CON LA EXCUSA DE QUE BUSQUE A MIS COMPAÑERAS! Y ME HACE TRABAJAR...

¡USA ARMAS BIOLÓGICAS EN SU PROPIO BENEFICIO!

¿NO ES LO QUE HA ESTADO HACIENDO HASTA AHORA?

¿SHIROGANE NO ES ESPECIALISTA EN UTILIZAR A LA GENTE?

¡LE DIRÉ TODO LO QUE ME...!

¡¡EH, TÚ, AHORA VAS A...!!

¡YA VERÁ!

¡SE VA ENTERA!

STAPF STAPF

EN SU HABITACIÓN SÓLO HAY UNA CAMA Y UN ORDENADOR...

DEBE SENTIRSE MUY SOLO...

FLUOOM

¿EH...? ¿POR QUÉ TIENE QUE SER TAN GUAPO...?

SE ESCONDE (RISAS)

¿POR QUÉ SABE TANTO SOBRE LOS ALIENS?

¿POR QUÉ UN ESTUDIANTE POSEE UNA CAFETERÍA?

¿POR QUÉ DEBE VIVIR AQUÍ SOLO?

NO LE CONOZCO PERO...

POR QUÉ...

YO... SIENTO QUE...

¡¡UAAAH!!

¡¡UAAH!!

HE TRABA-JADO TANTO QUE NO ME TENGO EN PIE.

¡TENGO QUE HABLAR CONTIGO!

QUE... ¿QUÉ HACÍAS?

¿ESPIAN-DO?

¿PUEDES TRAER ALGO?

TENGO HAM-BRE.

FUOM

TOMA.

¡UN MOMEN-TO!

...

AH...

TAP

¡ME VOY!

TAP TAP TAP

FUOOOM

DE REPENTE, AL VER SU CARA...

¿¡POR QUÉ, AL VER SU CARA...!? ¡¡TONTA!!

?

AL VER SU CARA, YO... YO...

JI.

ME PUSE MUY CONTENTA...

¿EH?

NO ES NADA Y...

¿POR QUÉ ME ALEGRO DE ALGO ASÍ?

¡MINT!

ZAS

¡¡VENGA, VAMOS, ICHIGO!!

JIA JIA

TUTUM TUTUM

TUTUM TUTUM

¿QUÉ HACES CON ESA CORREA?

¿YA HAS VUELTO? ¿CUÁNDO?

¡ASÍ QUE VAMOS!

¡¡¡NOOOOOOO OOOOO OOOOO OO!!!

JE ♡

VAMOS.

ASÍ NO PODRÁS HUIR.

VENÍA PRE-PARADA.

¡¡ME VOY!!

GROABSCH

ZURR

¡VAMOS AL INSTITUTO OKUMURA, CLARO! ♡

¡¡¡EK!

TAP TAP

LO PRIMERO, LA PISCINA.

¡¡AH, ESPERAA!!

ES AQUÍ...

EL ANEXO AL INSTITUTO OKUMURA...

ESTÁ LA PISCINA.

Y AQUÍ...

...

¡¡OH, CÁLLATE YA, PLASTA!!

SNIIF

BUHUUHU

NO ME GUSTA ESTAR AQUÍ POR LA NOCHE. ¡VÁMONOS!

¡¡IIIIIIIIH!!

¿¡Y HABLARÁ CON UNA VOZ MISTERIO-SA!?

¿¡ESO NO ES LA SILUETA DE UNA PERSONA!?

PAZING

¡¡UAAAH!!

EL DÍA EN EL QUE EMPEZÓ TODO-3

ESTOS SON LOS NUEVOS PERSONAJES.

UN AÑO ANTES DE EMPEZAR LA HISTORIA...

EL NUEVO EDITOR

BUH! ♡

¿CUÁL, CUÁL?

¿QUÉ ANIMAL ES ESTA CHICA?

STUTZ

ZRISH

AH, ÉSTA.

ESTA CHICA.

¡QUÉ VA, QUÉ VA! PERDONA, ¿VALE? ♡

¡¡MINT!! ¡LO HAS HECHO A PROPÓSITO!

¿EH? ¿VOLVER? ♡

VOLVAMOS A LA PISCINA.

TIPI TIPI

LA VERDAD ES QUE NO HA PASADO NADA.

¡SE EQUIVOCA! ¡ES UN RATÓN!

UNA RANA, UNA RANA.

¡QUÉ LISTO SOY!

HE... TROPEZADO CON ALGO... QUÉ DAÑO...

¿QUÉ HACES, ICHIGO?

BADONK

¡¡UAAH!!

PODÉIS VER DATOS DE ESE PERSONAJE EN LA PÁGINA 171.

PLITSCH

¡EN LA PISCINA!

SPLASH

!!

NO SÉ QUÉ ES, PERO TENGO UN MAL PRESENTIMIENTO...

¿QUÉ DEBE SER?

WUSCH

PSCHH

¡VAMOS, MINT!

¡PERO NO TENGO POR QUÉ PREOCUPARME, PORQUE TENGO A MI COMPAÑERA!

¿QUÉ SERÁ?

¡SÍ, VALE!

VENGA, BUSQUEMOS A LETTUCE.

¡LO CONSEGUIMOS!

TENGO UN MAL PRESENTIMIENTO...

BRRR

¡¡LETTUCE!!

¿DÓNDE PUEDE HABERSE METIDO?

¡AH!

BLUBBER

HAY ALGO QUE NO ESTÁ BIEN...

NO ME GUSTA.

¡¡ICHIGO, DETRÁS TUYO!!

SPLAASH

¡¡¡UAAAAH!!!

¡MALDITA SEA!

SLASH

NO PUEDO ...

RESPIRAR ...

SPLASH

VOY A MORIR ...

NOS HEMOS EQUIVOCADO, NO ERA UNA BESTIA QUIMERA

BLUBB

YA NO...

PUEDO MÁS...

ZAS

AH

WUSCH

¡¡CHI- GO!

NO...
PUEDE
SER...

¿¡LETTUCE!?

135

LETTUCE...

¡¡NUNCA PODRÉ TENER AMIGAS...!!

LETTUCE...

ME ESFOR- ZARÉ ...

AMIGAS ...

CREÍ- MOS QUE ERAS UN ESPÍRITU ...

COMO AQUELLAS CHICAS RESULTA- RON HERI- DAS...

TAM- BIÉN TENE- MOS LA CULPA.

NO PASA NADA.

ASÍ QUE NO HA PASADO NADA ...

¡¡NO ES ASÍ!!

138

¡TE QUEDA GENIAL!

¡QUÉ MONO!

...

EL MÍO ES MÁS MONO.

DE... ¿DE VERDAD?

ESTA CAFETERÍA ES CADA VEZ MÁS REFINADA.

ES CIERTO. AHORA SÓLO HAY ALGUIEN QUE DA LA NOTA.

LOS DE UNA BALLENA BELUGA.

¿QUÉ GENES ENTRARON EN EL CUERPO DE LETTUCE?

DIME, RYO...

¿¡QUÉ HAS DICHO!?

¿¡NO TE ESTARÁS REFIRIENDO A MÍ!?

AH, ¿DE VERAS?

¡AH!

PUES SÍ, TE QUEDA BIEN.

BALLENA

BELUGA

QUÉ ADECUADO.

CLONC CLONC

POM

¡SHIROGANE!

Y ENCIMA LE HA CAÍDO EN EL DEDO GORDO.

ESO... PESA MUCHO...

LETTUCE...

DUELE

REVERENCIA
REVERENCIA
REVERENCIA
REVERENCIA

¡PERDÓN
PERDÓN
PERDÓN
PERDÓN

¿EH?

VENGA, VAMOS.

LA MANO...

SIGUES COGIÉNDO-ME DE LA MANO...

AOYAMA.

VALE.

!?

CLASP

NO QUIERO QUE TE PIERDAS OTRA VEZ.

AOYAMA...

NO ESTÁ COMO SIEMPRE.

¿QUÉ DEBE SENTIR?

¿QUÉ DEBE ESTAR PENSANDO?

¿QUÉ SIENTES?

DIME, AOYAMA.

¡PERDONA!

¡NO PASA NADA!

¡AH!

¡AH, LA MANO!

AH... LA SALIDA...

152

UAAAH

PLOFF

UNA MÁSCARA

¡¡TE ENCONTRÉ!!

¿EH?

¿SON OREJAS?

¿QUÉ PASA?

¿TÚ OTRA VEZ?

HUFF

QUÉ SUSTO, PENSÉ QUE ERA UNA BESTIA QUIMERA.

ME HA...

¡¡ERES FANTÁSTICA!

¡¡QUÉ MONA, TE SALEN OREJAS DE GATO!! ♡

¿ME HA DESCUBIERTO?

¡¡UAAAH!

¡LO SABÍA, LO SABÍA!

¡GATO, GATO!

¡GATO, GATO!

¡¡ESPERA UN MOMENTO!!

158

¿EH?

¿QUÉ PASA CON LOS GATOS?

CREÍ QUE QUIEN INTERFERÍA EN NUESTROS PLANES ERA UN HOMBRE.

PERO AHORA RESULTA QUE ES UNA CHICA MUY MONA.

¡UAAAH!

FUWAPP

UAAH!

¿¡QUIÉN ERES!

¿¡PERO QU...!

159

PRIMERA PUBLICACIÓN EN LA REVISTA NAKAYOSHI, DEL NÚMERO 9 AL 12 DE 2000.

¿FICHAS EXTRAS DE ANIMALES?

EN EL MUNDO HAY ANIMALES EN PELIGRO DE EXTINCIÓN. ACTUALMENTE, HAY 2580 ESPECIES EN PELIGRO. UNO DE LOS MOTIVOS ES QUE LOS HUMANOS PESCAMOS DEMASIADO (UNA CANTIDAD EXCESIVA DE PECES), O LA DESTRUCCIÓN DEL MEDIO AMBIENTE. ¡SI TODOS NOS ESFORZAMOS, PODREMOS SALVAR A LOS ANIMALES!

FILE 3. BALLENA BELUGA.

TAMAÑO. MIDEN UNOS 150 CENTÍMETROS DE LA CABEZA A LA COLA, Y PESAN UNOS 40 KILOS. DÓNDE HABITA. PODEMOS ENCONTRARLAS EN LOS MARES DESDE IRÁN A JAPÓN (OCÉANO ÍNDICO Y PACÍFICO). AUNQUE PAREZCA QUE NO TIENEN CARA, SON MUY MONAS, SE LAS CONSIDERA PARIENTES DE LOS DELFINES. EN 1930 SE LAS NOMBRÓ PATRIMONIO NATURAL. PERO, AL CONTRARIO QUE LOS OTROS DELFINES, NO NADAN EN GRUPOS, SINO QUE SÓLO SUELEN ENCONTRARSE DOS O TRES EJEMPLARES JUNTOS. CADA VEZ QUEDAN MENOS NO SÓLO PORQUE USAMOS SU CARNE Y SU GRASA, SINO PORQUE MUCHAS MUEREN ATRAPADAS EN LAS REDES DE LOS PESCADORES.

ESTO QUIERE DECIR QUE SON ESTOS ANIMALES, LOS QUE ESTÁN EN PELIGRO DE EXTINCIÓN, LOS QUE HAN DADO SUS PODERES A LAS CHICAS.

GATO DE IRIOMOTE-≥ ICHIGO.
PERIQUITO DE PECHO BLANCO-≥ MINT.
BALLENA BELUGA-≥ LETTUCE.

SABRÉIS MÁS
EN EL SEGUNDO NÚMERO.
¡OS HABRÉIS DADO CUENTA
DE QUE HABÍA CINCO
GRUPOS DE GENES!

ichigo Bong

¡HOLA! ¡SOY ICHIGO, LA PROTAGONISTA! ♡ ¡VAIS A SER LOS ÚNICOS EN VER LOS ARCHIVOS CLASIFICADOS DE TOKYO MEW MEW!

MANTENEDLO EN SECRETO, ¿VALE?

ESTE TRAJE ESPECIAL ES UNA VERSIÓN DEL TRAJE DE LADRÓN.

MO

¿¡EEEEEH!?

¿CÓMO? ¿HE FA-LLADO?

¡DEL EQUIPO DE TOKYO MEW MEW!

EQUIPO,
¿NO?

MUCHA GENTE COLABORA EN TOKIO MEW MEW.
¡AHORA OS PRESENTARÉ A LOS MIEMBROS DE ESTE SÚPEREQUIPO!

LAS ASISTENTES DE DIBUJO

MADOKA.
DISEÑADORA DE FONDOS. ES
LA PERSONA QUE SE ENCARGA DE
DISEÑAR LOS FONDOS DE TOKYO MEW
MEW. SIEMPRE ESTÁ AYUDANDO
A LAS ASISTENTES.♡
PENDACHI ES FANTÁSTICO ♡

KISSHU
...

RIMO.
CONSULTORA TÉCNICA.
ESTÁ ENAMORADA DE KISSHU.
ELLA HA DECIDIDO CASI TODOS
LOS ATAQUES. ÚLTIMAMENTE
TRABAJA MUCHO CON LAS ASIS-
TENTES PRINCIPALES. ¡ES
ÚNICA CON LA TECNOLOGÍA!

ASISTENTES

HOSHINA.
ES UNA DE LAS ASISTENTES
PRINCIPALES. ES MUY BUENA
CON LAS PLANTILLAS Y LOS
BLANCOS. ¡SE HA COMPRADO
UN HÁMSTER!

ASUMI.
COMO SIEMPRE ESTÁ RESFRIADA,
PARA NO CONTAGIARNOS LLEVA
MÁSCARA, ¡TIENE 7 MODELOS
DISTINTOS! ¡ES SU DESTINO!
Y TAMBIÉN COLABORAN AYA SZUKI,
MICHIYO SAKUTA Y YAMASHITA.

¡GRACIAS POR LA AYUDA!

¡SEGUID HACIÉNDOLO TAN BIEN!

♡

DIBUJANTE

MIA IKUMI.

COMO ES LA DIBUJANTE,
ES LA QUE LO SUPERVISA
TODO, LOS PERSONAJES,
LOS OBJETOS, EL DISEÑO...
ES LA MÁS CHAFARDERA
DEL GRUPO.

TOKYO mew mew

LAS MEW MEW SON
GENIALES. ¡IGUAL QUE
LAS PERSONAS QUE
LES DAN VIDA!

EQUIPO DE GUIONISTAS

REIKO YOSHIDA, GUIONISTA.

HA TRABAJADO EN
MUCHAS SERIES, COMO DIGITAL
MONSTERS O YUME NO CRAYON
OUKOKU. NO PODRÍAMOS HACER
NADA SIN SUS GUIONES. POR
CIERTO, ES COMO SI FUERA
NUESTRA MAMÁ. ♡

ME
ENCANTA
EL PAN
DE CAN-
GREJO...

SEKIYACCHI.
EDITOR DE
ESTRATEGIA.

KAMAYAN.
EDITOR AVANZADO.

ES QUIEN SE
ENCARGA DE QUE
ESTE MANGA SEA
COMO UNA SERIE
SENTAI. ESTÁ A
CARGO DE IKUMI.
ES UNA PERSONA
MUY INTERESANTE,
EN LA SESIÓN DE
FIRMAS NOS OBLI-
GÓ A PONERNOS
OREJAS DE GATO
...

ES LA
ENCARGADA
DESDE LOS DIÁLO-
GOS A LA DIVISIÓN
DE CAPÍTULOS, DE
CÓMO DEBEN MO-
VERSE LOS PERSO-
NAJES, LOS EPISO-
DIOS... PERO SE
ENCARGA DE MO-
VER LOS ZAPATOS
DE IKUMI SIN
QUE SE NOTE
...

DISEÑO DE MECANISMOS

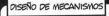

HIDEAKI OIKAWA.
DISEÑADOR DE MECANISMOS.

ES EL ENCARGADO DE QUE
TANTO LAS NAVES ESPACIALES
COMO LA MÁQUINA DE PARTÍCU-
LAS PAREZCAN REALES EN TOKYO
MEW MEW. ¡ES INCREÍBLE CÓMO
CONSIGUE PLASMAR LAS IDEAS
QUE LE DA IKUMI!

CÓMO CONSEGUIMOS HACER TOKYO MEW MEW

REIKO YOSHIDA

LA PRIMERA VEZ QUE HABLÉ DEL PROYECTO CON EL SEÑOR IKUMI, FUE EN EL RESTAURANTE CHINO DE UN HOTEL DEL CENTRO. IKUMI DIJO "¡EN CHINA!" PORQUE VIO UN VESTIDO CHINO PRECIOSO. ESA PERSONA ERA MUY GUAPA, ESTABA COMPARTIENDO UN PLATO DE CARNE CON SU COMPAÑERO DE MESA, ERA REALMENTE UNA BELLEZA. CUANDO EN LA SESIÓN DE FIRMAS LLEVABA OREJAS Y COLA DE GATO, PENSÉ QUE SI MI SUPERVISOR HABLABA CON AQUELLA CHICA, SEGURO QUE PENSABA QUE MI TRABAJO ERA ALGO RARITO...

PARA CADA ENTREGA DE MEW MEW, PRIMERO NOS REUNIMOS CON LA PRECIOSA EDITORA, CON QUIEN INTERCAMBIAMOS IDEAS SOBRE QUÉ ES LO QUE PASARÁ EN CADA CAPÍTULO. A CONTINUACIÓN SE ELABORA EL GUIÓN (LOS DIÁLOGOS, LOS DIBUJOS Y LA COMPOSICIÓN DE VIÑETA). CUANDO TENEMOS EL GUIÓN VOLVEMOS A REUNIRNOS DE NUEVO, Y TOMAMOS LAS DECISIONES FINALES, COMO EL TÍTULO, QUE ELIGE IZUMI. EN ESTE PUNTO, IZUMI SUGIERE MÁS IDEAS, SOBRE PERSONAJES Y LOCALIZACIONES. Y ASÍ CONSEGUIMOS UN ESPLÉNDIDO MANUSCRITO.

ICHIGO · MINT · LETTUCE · PURIN

A ZAKURO LA CONOCEREMOS EN EL TOMO DOS ¡QUE ♡ DISFRUTÉIS!

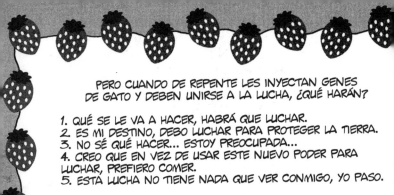

PERO CUANDO DE REPENTE LES INYECTAN GENES
DE GATO Y DEBEN UNIRSE A LA LUCHA, ¿QUÉ HARÁN?

1. QUÉ SE LE VA A HACER, HABRÁ QUE LUCHAR.
2. ES MI DESTINO, DEBO LUCHAR PARA PROTEGER LA TIERRA.
3. NO SÉ QUÉ HACER... ESTOY PREOCUPADA...
4. CREO QUE EN VEZ DE USAR ESTE NUEVO PODER PARA
LUCHAR, PREFIERO COMER.
5. ESTA LUCHA NO TIENE NADA QUE VER CONMIGO, YO PASO.

SI HAS MARCADO LA PRIMERA OPCIÓN,
ERES UNA PERSONA VALIENTE QUE NO PUEDE
DAR LA ESPALDA A LA SITUACIÓN. SI HAS MARCADO
LA SEGUNDA OPCIÓN, TEN CUIDADO PORQUE ERES UNA
CHICA QUE ESTÁ UN POCO CONFUNDIDA. SI HAS MARCADO
EL TRES, ERES UNA PERSONA QUE SE PREOCUPA DEMASIADO
POR TODO, DEBERÍAS PENSAR EN COSAS MÁS ALEGRES. SI
HAS ELEGIDO EL CUATRO, DEBERÍAS CENTRARTE MÁS EN
LA VIDA. SI HAS ESCOGIDO EL CINCO... TÚ SOLA TE DARÁS
CUENTA. DEL UNO EN ADELANTE, ESTOS PERFILES CORRES-
PONDEN A ICHIGO, MINT, LETTUCE, PURIN Y ZAKURO... ¿CON
CUÁL OS IDENTIFICÁIS? AUNQUE TODAS TIENEN EL MISMO
DESTINO, PUEDEN ESCOGER CAMINOS DISTINTOS. TODOS
LOS PERSONAJES SON IMPORTANTES Y MUY QUERIDOS,
VEAMOS CÓMO EVOLUCIONAN, ¿VALE? ¡NOS
VEMOS EN EL TOMO NÚMERO 2!

¿QUIÉN ES ESTA CHICA? 1

¿UNA NUEVA COMPAÑERA? ¿UNA ICHIGO MALVADA? (RISAS) NO, NO, QUÉ VA. SE TRATA DE UN DISEÑO QUE IKUMI PREPARÓ PARA EL EDITOR CUANDO SE ESTABA PLANEANDO LA SERIE. AQUÉL DÍA, IKUMI LE DIJO AL EDITOR "MIRA, ¿VES LO BIEN QUE DIBUJA?" ♡ ES CURIOSO, ANTES DE DEBUTAR ESTABA DESEANDO DIBUJAR GENTE CON OREJAS DE GATO, PERO CUANDO ME LLEGÓ LA OPORTUNIDAD SÓLO ME SALIÓ ESTO. NO ESTOY MUY SATISFECHA, NO ME ACABABA DE CONVENCER ESTE PERSONAJE. PASAMOS DE "DIBUJA UNA MÁS" A "QUE SEAN CINCO" ACABÉ DIBUJANDO A CINCO CHICAS MONAS PARA UNA SERIE SENTAI (RISAS). CREO QUE IKUMI LO PLANEÓ DESDE EL PRINCIPIO ◊◊

AL PRINCIPIO IKUMI QUERÍA QUE ELLA FUERA LA PROTAGONISTA PRINCIPAL, PERO AL FINAL LA MODIFI-CAMOS UN POCO PORQUE NO NOS CUADRABA CON EL PERSONAJE DE ICHIGO. ADEMÁS, NO CREO QUE ESTA CHICA PEGUE CON LAS TÍPICAS PROTAGONISTAS DE LA REVISTA NAKAYOSHI, DONDE SE PUBLICÓ EL MANGA POR PRIMERA VEZ. ◊◊ PERO AL PRINCIPIO LA ESCOGIMOS PARA PROTAGONIZAR MEW MEW PORQUE TIENE UN AIRE MUY MISTERIOSO ...

¿QUIÉN ES
ESTA CHICA?
2

LA DIBUJÉ PORQUE EL EDITOR QUERÍA UNA CHICA
MÁS. ESTE PERSONAJE ME DA LA MISMA SENSACIÓN
QUE LETTUCE, ES DE COLOR VERDE, EL COLOR DE LA
HIERBA. CREO QUE TIENE UN AIRE A IJIMI, ¿VERDAD?
ME GUSTA MUCHO ESTE PERSONAJE, PERO AL FINAL
NO ESTUVO ENTRE LOS CINCO ESCOGIDOS. ◊ ◊ PERO
QUIÉN SABE, TAL VEZ APAREZCA ALGÚN DÍA. ◊ ◊
HE TARDADO CASI DOS AÑOS EN HACER ESTE DISE-
ÑO, PORQUE CUANDO EMPEZÓ LA SERIE ESTABA
MUY NERVIOSA, Y TENÍA QUE TRABAJAR CON EL
GUIONISTA Y EL DISEÑADOR. TOKYO MEW MEW HA
SUPUESTO UN GRAN ESFUERZO.

EN LOS NÚMEROS SIGUIENTES OS
SEGUIRÉ PRESENTANDO PERSONAJE,
Y OBJETOS RELACIONADOS CON LA
SERIE, QUE SON MUCHOS...

DE REPENTE, MIA IKUMI. INFORME
SOBRE SU SESIÓN DE FOTOS.

LO QUE ME HAN DICHO HASTA AHORA:
ESTOY MUY CONTENTA CON QUE ME DEJARAIS ESE
UNIFORME PARA TOMARLO DE MODELO PARA EL DE ICHIGO...
¿PERO POR QUÉ TENGO QUE PONÉRMELO PARA LAS FOTOS?
Y ENCIMA SALDRÁ EN LOS PERIÓDICOS...

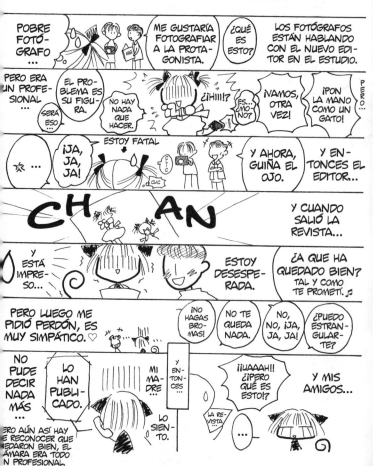

AUNQUE AÚN NO ENTIEN-
DO QUÉ PRETENDÍA EXPRESAR
IKUMI PONIÉNDONOS OREJAS DE
GATO, HE DE RECONOCER QUE
FUE DIVERTIDO. ◊◊ LOS QUE VIERON
ESE NÚMERO DE LA REVISTA COMEN-
TABAN QUE FUE UNA COSA MUY
CURIOSA, Y LOS QUE NO LO VIERON
PENSABAN QUE SERÍA ALGO MUY
MONO Y ENTONCES LO BUSCARON
PARA LEERLO. ◊◊ ME ALEGRO DE
LA BUENA ACOGIDA DEL MANGA,
PERO AHORA TENÉIS QUE VER A LA
DIBUJANTE DE MANGA, ¡VENID A
LAS SESIONES DE FIRMAS! (ES QUE
QUIERO CONOCER A MIS LECTORES)
PENSÁNDOLO BIEN, CREO QUE LO
DE LAS FOTOS NO FUE UNA BUENA
IDEA. ¡LA VERDAD ES QUE NOS
LUCIMOS! (YA LO DECÍA YO...) DE
VEZ EN CUANDO RECIBO CARTAS
DE FANS QUE ME DICEN QUE ESAS
FOTOS FUERON UN ERROR, QUE
NO QUEDARON BIEN, Y LO CIERTO,
DEPRIME UN POCO. ◊◊ PERO ESTE
AÑO ME HE HECHO UNA FOTO CON
OREJAS DE GATO. EN PRINCIPIO IBAN
A SER FOTOS NORMALES, PERO QUI-
SIERON HACER ALGO DISTINTO E
IKUMI TRAJO A GENTE DE VARIOS
LUGARES. LA SENSACIÓN FUE UN
POCO EXTRAÑA, PERO LA SESIÓN
DE FIRMAS FUE MUY DIVERTIDA,
Y HABÍA COSAS DELICIOSAS PARA
COMER. ¡MUCHAS GRACIAS A TO-
DOS LOS QUE COLABORARON
EN SU ORGANIZACIÓN!
¡HASTA OTRA! ♡

POR CIERTO, LAS OREJAS DE GATO ME LAS HIZO
MI AMIGA RUKA HOSHINO. ¡GRACIAS!

HOY (CUANDO ESCRIBO ESTO) HE
HECHO UNA TARTA DE CHOCOLATE.
Y TAMBIÉN UNAS GALLETAS. DESDE
QUE EMPECÉ A DEDICARME A ESTO
NO HE TENIDO MUCHO TIEMPO PARA
ESTAS COSAS. NO RECORDABA LO
DIVERTIDO QUE ERA. ME DIO POR
PENSAR QUE HACÍA MUCHO TIEMPO
QUE NO HACÍA NINGÚN DULCE, Y COMO
HABÍAN PASADO TANTOS AÑOS, NO
TENÍA NI LOS INGREDIENTES NECE-
SARIOS... ASÍ QUE TUVE QUE IR DE
COMPRAS. Y ES QUE LA ÚLTIMA
TARTA QUE HICE FUE UNA DE NA-
VIDAD, HACE MUCHO... PARECE
QUE ME HA VUELTO A DAR
POR COCINAR REPOSTERÍA.

DESDE QUE DEBUTÉ ME HE CENTRADO
MUCHO EN EL MANGA, QUIZÁ DESCUIDANDO
OTRAS COSAS. Y AHORA QUIERO RECUPERAR
ALGUNAS DE MIS AFICIONES, SEGURO QUE ES-
TARÁ BIEN. QUIERO HACER Y COMER DULCES,
LEER MANGA, COSAS ASÍ... CREO QUE ESO
HARÁ QUE MI TRABAJO SEA MEJOR.